너희들의 메모리

너희들의 메모리

발 행 | 2025년 02월 04일
저 자 | 뿔난붕어
펴낸이 | 한건희
펴낸곳 | 주식회사 부크크
출판사등록 | 2014.07.15.(제2014-16호)
주 소 | 서울특별시 금천구 가산디지털1로 119 SK트윈타워 A동 305호
전 화 | 1670-8316
이메일 | info@bookk.co.kr

ISBN | 979-11-419-8268-3

www.bookk.co.kr

너희들의 메모리

뿔난붕어 지음

차례

머리말 5

제1화   열다섯 행복 메모리 6

제2화   열다섯 바이러스 메모리 16

제3화   스물다섯 고장 난 메모리 48

제4화   에피소드 94

작가의 말 97

너희를 만나서

무서웠고 두려웠다.

힘들고, 슬퍼 울기도 했다.

그럼에도

너희를 만남으로써

진정한 우정을 알았다.

영원한 우정을 알았다.

깊은 사랑을 알았다.

나를 알았다.

열다섯
행복 메모리

'우리 네 명 꼭 영원히 친구 하자!' 자신 있게 말했었다. 아무리 시간이 흘러도, 아무리 힘들어도 늘 서로가 일 순위여야 한다며 다 함께 바다에서 약속했었다. 메모리 속, 한 장면이다.

하지만, 우리의 영원을 방해라도 하는 건지. 우리를 힘들게 하기 시작했다.

너희들을 만난 건 인연이자, 운명이었다. 이 넓은 지구에서, 81억 만 명이 넘는 인구 중에서 하필이면 너희들을 만나 서로를 스쳐 가는 인연이 아닌 신뢰를 쌓아가는 친구로 발전했다는 건 우리가 운명이란 걸 증명하는 것과 같았으니까.

제일 먼저 인연을 쌓은 것은 복민이었다. 지금으로부터 약 10년 전, 내가 다섯 살일 때였다. 어린이집에서 각자 가져온 도시락을 먹고 있었다. 그날 할머니가 도시락에 깍두기를 싸주셨는데 나는 깍두기를 먹고 싶지 않았다. 그럼에도 선생님은 한 개라도 먹지 않으면 노는 시간을 주시지 않겠다고 하셨다. 내가 왜 먹어야 해, 마음속으로 불평불만 하고 있었는데 내 옆에 있던 민이가 말했다.

"왜 안 놀고 앉아만 있어?"

"선생님이 깍두기 한 개 먹어야 놀게 해주신대⋯⋯"

민이는 잠시 고민하더니 내 옆으로 가까이 붙었다.

"내가 반 먹어 줄 테니까, 너도 반 먹어봐."

"그래!"

나와 민이는 깍두기를 반으로 가른 다음 서로 동시에 입에 넣었다. 여전히 시큼하고 매워 맛은 없었지만, 즐거웠다. 민이는 환하게 웃어 보였다. 나도 따라 웃었다. 같이 놀자며 뻗던 그 조그만 손을 아직도 기억한다. 작지만 힘 있는 그 손을 말이다. 깍두기는 민이와 내가 친할 수 있게 만들어 준 매개체였다.

나의 또 다른 친구 손파랑은 유치원으로 올라가고 나서 만났다. 어린이집에서 유치원으로 올라가 새로운 환경에 적응하는 것이 두려웠던 나는 유치원에 들어서자마자 울었다. 낯설고 무서웠다. 잔뜩 긴장해 웅크리고 있던 나를 일으켜 준 것은 파랑이었다.

"따라와."

무심히 툭 던진 한마디에 나는 얼굴을 들었다.

파랑이는 아무 말도 하지 않고 손을 잡아, 나를 끌었다. 따뜻한 손에 나는 긴장이 풀렸다. 파랑이는 장난감을 소개해 주고 친구들에게도 인사할 수 있게 해주었다. 웃음은 많지만, 표현은 잘하지 못하는 모습에 파랑이를 부끄러움이 많은 착한 애라고 생각했다.

"파랑아, 고마워."

"고마우면 나랑 같이 놀던가." 따뜻했고 포근했다. 유치원은 우리를 만나게 해준 매개체였다.

우리의 마지막 친구, 곽시원은 초등학교 6학년 때 만났다. 그때 당시 민이, 파랑이, 나는 모두 같은 초등학교에 입학해 친했다. 우리 학교로 누가 전학을 온다는 소식을 듣고 우리 셋은 기대에 차 있었다. 전학생은 어떤 애일까?, 기대에 눈망울로 전학생을 반에서 기다렸다. 전학생인 시원이가 문을 열고 들어왔고 우린 수군거렸다. 순둥순둥한 외모에 동글동글 귀엽게 생겼다. 우리 셋은 선생님의 아침 시간 조회가 끝나자마자 시원이에게 많은 것을 물어보았다.

"어디서 왔어?"

"서울……"

"서울이면 도시잖아, 왜 여기로 왔어?"

"그게……"

지금 생각해 보면 대답해 줄 시간도 안 주고 질문 사례를 펼친 것 같다. 시원이와는 금방 친해질 수 있었다. 전학은 시원이와 함께할 수 있게 해준 매개체였다.

우린 그렇게 네 명이 되었다. 네 명이 된 것은 행운이었다. 짝수이기 때문에 누구 하나 소외되지 않을 수 있었으며, 네잎클로버도 네 개이고, 강아지 다리도 네 개인 것처럼 우리도 네 명이기에 행복했다.

우리가 본격적으로 친하게 지낸 것은 중학교 1학년 때이다. 우리 모두 같은 여자중학교로 입학을 해 모르는 친구들 사이에서 서로 의지를 많이 했다. 나는 3반, 민이는 1반, 파랑과 시원은 2반이었다. 반이 다르지만 우린 정말 수업 시간을 제외하고는 늘 함께였다. 쉬는 시간에도, 점심시간에도, 하교도, 주말에도 우린 떨어질 수 없는 자석에

N극과 S극처럼 붙어 다녔다.

평소와 같이 학교가 끝나고 우리는 다 같이 카페로 가서 수다를 떨기로 했다. 맛있는 음료수와 재밌는 친구들, 행복했다.

"시험 준비했어? 나 이번 시험 망할 것 같아."

민이가 말하자 우리도 하나둘 말했다.

"에이~ 괜찮아, 나도 시험 준비 안 함."

"누구는 시험 준비한 줄 아니? 나도 포기함."

"열심히 해보자고~"

하하 호호 뭐가 그렇게 웃긴 지 카페에 우리밖에 없어서 다행일 만큼 웃음소리가 컸다.

수다를 떤 지 30분이 되어 우리는 가방을 챙겨 카페를 나갔다. 시원이와 파랑이는 학원에 가고 나와 민이는 버스를 타러 갔다. 민이와 나는 버스에서도 이야기했다. 편했고 즐거웠다. 민이가 버스에서 먼저 내리고 나는 창문에 기대 눈을 감고 생각했다. 우리는 같이 처음을 맞이한 적이 수도 없이 많았다고, 첫눈을 같이 본 것도, 처음으로 친구

집에서 잠을 잤을 때도, 내 생일에 첫 편지를 써 준 것도 모두 너희들이었다. 그때 그 심정은 이루 말할 수가 없다. 행복에 가깝다고 해야 하나, 감동에 가깝다고 해야 하나. 마음속에서 올라오는 그 감정은 사랑이 이루어지는 드라마보다 더 감동적이며 산꼭대기에서 보는 노을보다 더 아름다웠다. 그때마다 난 우리의 우정이 영원하게 해주세요, 하고 믿지도 않는 신에게 말했었다.

눈을 뜨니 내가 내릴 곳에 다다랐다. 버스에서 내려 집으로 걸어갔다. 집에 도착하여 목욕하고 침대에 누웠다. 영원할 것 같은 지금의 우리가 계속되는 상상을 했다.

영영 그렇게 영원할 줄로만 알았다. 우린 오랜 시간 동안 잘 지냈고 우리에겐 우리밖에 없었으니까. 2학년이 되어 나와 민이, 파랑은 같은 반이 되었고, 시원이 혼자 떨어지게 되었다. 시원이는 우리 앞에서는 괜찮은 척했지만, 혼자 속앓이를 많이 한 것 같다.

그렇게 2학년이 되어 학교생활을 한지도 1개월, 우리는 지금, 이 상황에 적응했다. 반에 우리 말고 다른 친구들도 생기고 시원이랑도 자주 만나며 우정을 이어 나갔다.

같은 반이 된 지 3개월이 조금 안 넘었을 때, 우리는 시원이 집에서 파자마 파티를 했다. 시원이 집으로 다 같이 모여 우린 과자와 음료수를 사러 마트에 갔다.

"우리 라면 살래?"

"좋은 생각인데! 사자!"

라면 하나에 까르륵 웃어 됐다. 마트에서 과자, 라면, 음료수를 사고 다시 시원이 집으로 가, 여유 있는 시간을 보냈다. 보드게임, 몸으로 말해요, 그림 그리기 등 우린 하루가 아깝지 않을 정도로 웃고 떠들었다. 새벽 1시가 되자 점점 눈꺼풀이 감겨갔다. 눈이 감기는 그 순간 시원이와 민이와 파랑이는 미소 짓고 있었다. 그거면 됐다. 너희가 웃는 그 순간이 내 메모리 속에 담겨 있다면 여한이 없다고 생각했다. 나의 기억 메모리 속, 너무 크게 자리 잡힌 친구. 너희라는 존재 어쩌면 우리라는 존재가 계속 함께 하길 바란다.

주말이다. 오늘은 만나서 놀지는 않고 전화하기로 하였다. 점심을 다 먹었을 때 딱 전화가 와서 기쁘게 받았다. 여보세요~, 전화를 받자, 하나둘 말을 이어 나갔고 배 아플 정도로 웃었다.

"얘들아, 저번의 바다에 갔을 때 기억나? 그때 진짜 재밌었는데."

파랑이가 메모리 속 추억을 꺼내자, 우리 모두 기억이 되살아났다.

"아~, 저번의 파랑이가 시원이 바다에 빠트린 날."

"맞아, 나도 기억났다. 우리 거기서 영원히 친구 하겠다고 맹세까지 했잖아."

"그래, 민이가 막 도장, 싸인, 복사까지 하라고 시키고."

즐겁게 이야기하다 보니 어느새 해가 저물고 잘

시간이 되었다. 우리는 잘자, 서로에게 말하며 잠을 청했다. 같은 공간에 없음에도 같이 있는 것 같이 느껴졌다.

'소소한 행복이란 이런 것이겠지. 만약 이게 행복이라면, 난 매일 행복하다.'

열다섯
바이러스 메모리

같은 반이 된 지 3개월이 좀 넘었을까, 우리가 점점 바뀌는 것 같다. 점점 서로에게 무관심해지고 서운함이 많아졌다. 겉으론 티 내지 않고 지내고 있지만 보이지 않는 벽이 만들어져 가고 있었다. 사춘기 때문에 예민해진 거라고, 시간이 해결해 줄 것이라고 믿었다.

같은 반이 된 지 3개월 하고도 10일이 지났을 때였다. 새로운 친구들이 생기고 짝꿍이나 모둠을 정할 때 번거로움이 생겼다. 새로운 친구가 같은 모둠을 하자 하는데 나는 민이와 파랑이와도 같이 하고 싶었기 때문이다. 근데 민이와 파랑이는 다른 친구들과 모둠을 하는 것이 아니겠는가, 그 모습을 보고 내심 서운했다. 나한테 한 번이라도 물어봐 줄 수 있는 거 아닌가 싶었다. 그런 마음을 말하기도 애매했기에 그냥 묻어가기로 했다.

반에 친한 애들이 생길수록 서로에게 집중하는 시간은 짧아지고 챙겨줘야 할 사람은 늘어났다. 단 한 번도 친구 문제로 밤새운 적 없었는데 요즘에는 우리를 생각하면 잠에 들지 못했다. 나도 사람인지라 객관적이지 못하는데 너희들을 주관적으로 보고 싶지 않기에 생각을 포기하기로 했다.

다음 날, 원래 같았으면 수다 떨기 바빴을 민이가 핸드폰만 하고 있었다. 나는 민이와 놀고 싶어서 민이에게 장난쳤다. 근데 민이는 장난으로 받아들일 수 없었나 보다. 나에게 정색하며 말했다.

"뭐래, 하지 마."

평소 같았으면 웃으며 아니라고 했을 민이인데,

난 당황해하며 내 잘못인 것 같아 자리를 피했다. '장난이 심했나? 근데 평소엔 받아줬는데….' 혼자 고민했다. 다음부턴 조심해야지, 생각하지만 쉽게 바뀌지 않는 말버릇 때문에 여러 번 민이에 마음을 상하게 했다. 계속 말버릇이 반복되니까 말을 잘 걸지 않게 되었다. 고쳐야지 생각하고 미안하다고 말하는 것이 어느 순간 당연해졌다.

이런 상황이 반복되지 않았으면 해서 나쁘게 말하는 말버릇을 많이 고쳤다. 그런데 왜 고쳐가도 상처는 계속되는 것일까?, 생각하다가 알았다. 사실 나보다 더 심하게 민이에게 상처를 주는 사람은 따로 있었다. 바로 파랑이다. 파랑이도 말을 심하게 하는 버릇이 있다. 장난과 나쁜 말 사이에서 사람을 긁는다.

학교에서 민이가 모르는 수학 문제가 있어서 문제를 파랑이에게 물어볼 때였다.

"이거 어떻게 풀어?"

파랑이는 이것도 모르냐?, 하며 비아냥대었다.

민이는 기분이 나빠진 것 같은 표정이었지만 넘어가는 모습이었다. 나는 화제를 돌리려 파랑이에게 말했다.

"아, 오늘 덥네."

"여름이 덥지 춥냐."

파랑이에 말해 나도 기분 상했지만 싸우고 싶지 않아 넘어갔다. 민이는 물론이고 나와 시원이도 파랑이에 그런 모습을 안 좋게 봤다. 정말 착한 친군데, 그 단점 하나로 사람이 별로 같아 보였으니까. 하지만, 파랑이에겐 이 사실을 말하진 않았다. 사소했기에 말할 필요가 없다고 느꼈다. 작은 상처 정도는 스스로 치료할 수 있다고 생각했다.

같은 반이 된 지 4개월, 학교생활이 즐겁지만, 불안할 때도 많다. 파랑이와 민이가 3분 토론을 벌이고 있을 때, 파랑이가 나에게 행동을 조금 심하게 할 때, 내가 민이에게 부정적인 말을 했을 때, 민이가 파랑이를 극도로 경계할 때. 난 눈치 보였다.

"시원이가 같은 반이었으면 그나마 나았을 텐데……."

작게 속삭인 진심이 옆 반 시원이까지 들렸으면 했다. 하루하루가 긴장에 연속이었고 동물원에 사자와 호랑이를 같이 지내게 하는 것같이 보였다. 내일은 괜찮겠지, 내일은 바뀌어 보자, 내일은 좀 더 즐겁게 지내보자. 그렇게 생각한 것도 어느새 일주일이 지났다.

같은 반으로 같이 있는 시간이 많아지니 갈등도 많아지고 예민함도 늘었다. 그럴수록 힘들어지는 것은 다른 반인 시원이었다. 시원이는 우리 네 명을 평등하게 대하려 노력했고 고민도 다 받아줬다. 그런 시원이에게 미안해서라도 속상한 일이 있어도 말하지 않고 참으려고 노력했다.

학교가 끝나고 아이스크림 가게로 향했다. 평소같이 웃으며 대화하는 너희를 보고 다행이라고 생각했다. 한숨 돌리나 했지만, 아이스크림 가게에 도착해서는 아이스크림이 차가운 건지 가게가 서

늘한 건지 민이와 파랑이가 서로 차갑게 대치했다.

같은 반이 된 지 5개월이 되었다. 민이는 날카로워져 갔다. 파랑이가 가끔 기분 나쁜 말을 하면 민이는 똑같이 되돌려주었다. 그래서 그런지 파랑이가 별말을 하지 않았음에도 민이는 날카로운 말을 했다. 나는 그럴 때마다 민이야 그만해, 파랑아 너도 그만해, 하기 일쑤였다.

그날도 그러했다. 파랑이가 민이에게 자를 빌려달라 했다. 민이는 말했다.

"나 자 없는데."

"넌 있는 게 뭐냐?"

파랑이가 장난스럽게 말했다. 그 말을 들었을 때 내가 다 식은땀이 났다.

"니도 없잖아. 그렇게 말할래?"

민이가 화가 난 말투로 말했다. 파랑이는 미안하다고 했지만 이미 엎질러진 물을 어떻게 주워 담을 수 있겠는가. 다행히 민이는 시간이 지나면서 괜찮아졌지만, 파랑이는 또다시 그럴 것이다. 사람이 바뀌기란 쉽지 않으니까.

민이와 파랑이에 사이가 어쩌다 이렇게 됐을까. 그 둘의 사이는 당장 폭발해도 이상하지 않을 정도였다. 파랑이는 민이뿐만 아니라 친한 애들 모두에게 그렇게 대한다. 그중에서도 마음 약한 민이가 상처를 많이 받는 것뿐이었다.

하지만, 내가 파랑이에게 뭐라 할 자격이 되진 않을 것이다. 나도 말을 세게 하는 편이고 말실수를 매번 한다. 지금 우리의 우정은 얇은 줄 위에서 외줄 타기를 하는 것과 마찬가지였다.

같은 반이 된 지 6개월하고 6일이 더 흘렀을 때였다. 정말 민이가 터질 대로 터진 날이 이었다. 그날 청소 시간에 나와 파랑이는 반에서 청소하고 있었는데 복도에서 민이와 시원이가 같이 화장실 쪽으로 가는 것이 보였다. 나는 시원이와 민이 쪽으로 가려고 다가갔다. 내가 가니 파랑이도 따라 나왔다. 그러자 시원이는 우리 둘에게 "따라오지

마."하고 가버렸다. 나는 왜?, 하며 따라가려는데 파랑이가 나를 끌고 반으로 갔다. 파랑이와 나는 시원이와 민이가 왜 그러는지 추측에 나섰지만, 알 순 없었다. 선생님에 종례가 끝날 때까지 민이는 오지 않았다. 파랑이는 민이가 오면 학원으로 오라고 전해달라는 말만 남긴 채 새 친구와 가버렸다. 나는 민이와 시원이가 올 때까지 기다렸다. 3분 정도 기다렸을 때 민이와 시원이가 왔다. 민이에 눈가가 빨개져 있었으며, 눈에는 바닷물이 차올라 있었다. 나는 다급하게 물었다.

"민이야, 왜 그래?"

민이는 고개를 숙였다. 그러자 시원이가 일단 가방을 챙기라고 하였고 우린 가방을 챙겨 학교를 나갔다. 교문 쪽으로 가며 민이는 내게 설명해 주었다.

"파랑이가 말을 심하게 하잖아, 그걸 시원이에게 고민 상담하며 말하는데 참았던 감정이 나오면서 울어버렸어……."

언젠간 이런 일이 생길 줄 예상하였기에 별로 놀랍지도 않았다. 하지만 충격을 받은 건 민이에 다음 말이었다.

"내가 너에게 말하지 못한 건, 너에게도 상처받았기 때문이야."

머릿속은 띵- 했고 귀에선 주위에 잡음밖에 들리지 않았다. 적지 않게 놀라고 있는데 시원이가 다음 말을 이어갔다.

"다원이 네가 민이에게 파랑이한테 그러지 말라고 말했다며."

물론 파랑이가 잘못 했지만 민이도 말을 세게 한 것이 있기에 민이에게 그러지 말라고 말하고 바로 파랑이에게도 말했다. 엄연히 둘 다에게 말했는데 받아들인 쪽은 서운했나 보다.

"민이야, 미안해…."

나에게 상처받은 게 저 이유만은 아닐 거로 생각하기 때문에 민이에게 진심으로 사과했다. 민이는 사과를 받아주었다. 그렇게 쓸쓸한 표정으로 우리 셋은 헤어졌다.

 터미널로 가는 길, 폭풍우처럼 지나간 일들이 머릿속에서 스쳐 지나간다. 내가 또 무엇을 잘못했나? 고민했다. '저번, 민이에 부탁을 거절했을 때 너무 나쁘게 말했나? 아니면, 민이가 연예인을 보여 줬을 때 시큰둥하게 반응했던 거 때문일까?' 잘못한 것 같은 건 생각할수록 계속 나왔고 자책은 당연한 거였다. 내 잘못을 생각할수록 파랑이가 했던 기분 나쁜 말들이 생각났다. 그럴 처지가 아니라는 건 아는데 분한 감정이 올라왔다.

 나도 파랑이에게 사소하지만, 마음이 상한 적이 많다. 어쩌면 사소하기에 말하지 못한 것. 작은 바늘을 날카롭게 갈아 비수를 꽂는 것같이 작지만 아픈 말이다.

 그날 집에 돌아와 시원이와 민이에게 전화했다. 시원이와 민이는 이번에 제대로 파랑이에게 사실대로 말하자고 하였다. 우리 셋은 계획을 세웠다. 카페에서 진지하게 이야기하기로 말이다. 내일 분

명하게 말할 것이다. 민이와 나는 서운했던 점을 서로 회포 했다. 회포를 풀고 나니 한결 편해졌다. 내일 시원이는 파랑이 옆에 있어 중심을 잡겠다고 하였다.

결전에 오늘, 우리는 평소처럼 지내다가 카페로 가서 민이는 조심스럽게 이야기를 꺼냈다.

"파랑아, 요즘 네가 말을 세게 해서 상처 많이 받았어. 우리 더 이상 친구 못 할 것 같아. 진짜 못 버티겠어. 미안, 근데 너도 널 돌이켜 봐."

잠깐에 정적이 흘렀다. 파랑이는 아무 말 없이 빨대를 만지작거렸다.

"너도 우리한테 서운한 게 없을 거라고는 생각 안 해. 있으면 얘기해도 돼. 파랑아, 하지만 나도 네가 계속 이런 식이면 친구 못해."

파랑이는 한 곳을 응시하며 아무 말도 하지 않았다. 나와 민이는 먼저 가볼게, 하고 일어섰다. 카페 문을 나서는데 상쾌한 공기를 맡으며 가장 먼저 든 생각은 '후련하다.'였다.

우정에 대해 성 제롬은 그런 말을 했다. '우정을 끝낼 수 있다면, 그 우정은 실제로 존재하지 않은 것이다.' 사실 파랑이를 완전히 끊어 냈다는 생각이 들지 않았다. 아무리 파랑이가 상처를 줬다고 해도 파랑이는 우리를 위해 줄 때가 많았으며, 위로와 도움을 많이 준 착한 애라는 걸 우린 알기 때문에 끝낼 수 없는 것이다. 파랑이에게도 이 마음이 전해졌길 바라지만 너무 많은 것을 바란 것은 아닐까?

민이와 버스를 기다리는데 시원이에게 전화가 왔다. 나는 무슨 일인가 전화를 받았다.

"다원아……."

시원이에 목소리는 금방이라도 울 것 같은 목소리이며 이미 울고 난 후인 것 같기도 했다.

"시원아, 무슨 일 있어?"

"아니, 파랑이가 너희가 간 후에 우는데 내가 너무 슬픈 거야. 왜 이렇게까지 됐을까 싶어서……."

"시원아, 괜찮을 거야."

민이와 나는 그 말밖에 해줄 수 없었다. 미안했고 미안했다. 처음엔 후련했는데 지금은 찝찝하다. 그게 뭐라고 좀만 더 참았으면 괜찮아지진 않았을까, 괜히 상처 준 건 아닐까? 걱정됐다. 무엇보다 시원이를 괜한 일에 휩쓸리게 한 것 같아 미안했다.

집에 어떻게 갔는지 밥은 또 어떻게 먹었는지 기억나지 않는다. 정신을 차려보니 나는 침대에 누워있었다. 포근한 침대는 가시밭처럼 느껴졌고 머릿속은 엉킨 실처럼 복잡했다.

마크 트웨인은 말했다. '참된 우정은 어둠 속 빛나는 별과 같다.' 우리의 우정을 기억 메모리에서 꺼내 보면 늘 서로가 있기에 어둠 속에서도 밝을 수 있었다. 같이 있으면 즐거운 건 당연한 거였고 제2의 가족이라고 생각해도 이상하지 않을 만큼 서로를 의지했다.

우리의 메모리는 늘 행복함이었다. 조그마한 바

이러스가 메모리에 침투했을 때 없어지겠지. 가만히 놔둔 게 화를 불렀다. 바이러스는 빠르게 번져 갔고 행복 메모리는 지워져 갔다. 안 좋은 것만 떠오르게 하는 바이러스는 우리의 메모리를 마비시켰다. 객관적인 판단을 막았고 감정적으로 변하게 했다. 파랑이를 몰아붙일 게 아니었는데 감정이 앞섰다.

지금쯤 파랑이는 무슨 생각 하고 있을까? 너도 나와 같은 생각 할까? 미안하다고 말하기에는 바이러스가 나를 막는다.

나는 바이러스에 현혹되었다. 벌떡 일어나 머리를 부여잡으며 더 이상 생각하지 않으려 했지만 우리들의 메모리 보다 커진 바이러스는 없어지지 않았다. 바이러스가 날 조종하는 지경에 이르렀다.

같은 반이 된 지 8개월, 파랑이와는 어색해졌고 민이와 시원이는 파랑이에 대해 언급하지 않는 지경이 되었다. 이런 걸 바란 게 아닌데. 파랑이에게 사과하려 여러 번 시도 했다. 하지만 그때마다 날

막아서는 건 바이러스였다. 이 바이러스는 파랑이 한 개로는 만족 안 되었는지 민이에게도 적대심을 들어내기 시작했다. 민이가 나에게 고양이를 보여 주며 귀엽지 않아?, 라고 공감을 바라고 있었다. 나는 오! 귀엽네…, 라고 말을 끝내기도 전에 바이러스는 날 조종해 말했다.

"별로, 안 귀여운데."

민이는 아… 그래?, 하며 축 늘어져서 터벅터벅 걸어갔다. 나는 미안한 마음에 다급하게 민이에 손을 잡으려는데 바이러스는 손을 잡지 못하게 내 몸을 굳게 만들었다. 턱 끝까지 민이야!, 소리가 차올랐지만 나는 말하지 못하였다. 점심시간이 되고 나서도 민이와 나는 대화를 하지 않았다.

민이는 점심시간이 되자 급식을 먹지 않고 1반 친구와 체육관에 갔다. 나는 복도에서 시원이를 불렀다. 시원이가 나오고 나에게 물었다.

"민이는?"

"1반 친구랑 체육관 가던데."

말이 끝나기가 무섭게 시원이는 한숨을 쉬었다. 나는 시원이에게 물었다. 왜 그래?, 그러자 시원이는 해줄 말이 있다며 조용한 도서관으로 데려가 이야기를 꺼냈다.

"1반에 민이 친구라는 애가 요즘 맨날 민이를 데려가니까. 나랑 같이 있을 시간이 없잖아. 나는 같은 반도 아닌데."

"하긴… 근래에 1반 애랑 많이 붙어 있긴 하더라."

시원이는 한숨을 푹푹 쉬었다. 말해 보는 게 어때?, 나는 시원이에게 권했다.

"어떻게 말해…. 같이 다니지 말고 우리랑만 다니라고? 절대 말 못 해."

"그럼, 어떻게 해?"

"언젠간 괜찮아지겠지, 아직은 우리랑 더 친하니까."

"그래그래. 너무 깊이 생각하지 말고, 급식이나 먹으러 가자."

급식이 입으로 넘어가는지, 코로 넘어가는지 모를 정도로 나는 멍하니 있었다. 시원이한테 괜찮다고 말은 했지만, 사실 제일 불안한 건 나였다. '이것도 일종에 바이러스 같은 것일까?' 우리들의 메모리 중 행복 메모리를 떠올리고 떠올리려 해도 기억나지 않는다. '내가 뭐 때문에 우정을 쌓고 있지?, 이렇게 괴로운데 내가 얻는 건 뭐지?, 친구가 왜 필요하지?'

"다원아!"

시원이가 나를 부르고 내가 정신을 차렸을 땐, 복도에 있었다.

"왜 이렇게 멍하니 있어. 몇 번을 불러도 대답도 없고."

급식을 먹고 복도까지 왔나 보다. 정신을 차릴 겨를도 없이 수업 시작을 알리는 종이 울리고 시원이는 이따 보자, 라는 말을 남기고 반으로 들어갔다. 나도 반에 들어가 자리에 앉았다. '원래 같았으면 파랑이가 와서 같이 이야기할 텐데, 원래 같았으면 민이가 같이 웃어 줬을 텐데.' 지금의 감정은 그리움이다. 어린 시절보다 더 그리운 마음이 든다. 나에게 웃긴 말을 해줄 이도 웃어 줄 이도 없다. 난 엎드려 수업에 집중도 못 하고 5교시고 6교시고 7교시고 잠을 잘 때도 무기력하게 보냈다.

같은 반이 된 지 8개월 하고 1일, 바이러스가 날 완전히 지배한 것 같다. 나는 민이, 파랑이, 시원이에게 못된 말을 일삼았다. 정신을 차려보면 항상 친구들이 기분 나쁘다는 표정을 하고 있었다. 미안해, 그 말 한마디라도 하려 하면 입을 누가 꿰매둔 것처럼 입을 벌리지 못했다.

우리는 전처럼 자주 만나지 않았으며, 말도 잘 섞지 않았다. 반 친구들보다 더 못한 관계가 되었다.

나는 화해 하고 싶어, 파랑이와 민이, 시원이를 학교 뒤뜰에 불러 이야기했다.

"그래, 나도 너희랑 이렇게 싸우고 싶지 않았

어."

"뭐, 이렇게 멀어지긴 좀 그러니까."

"그래, 우리 화해하자. 서로 이해해 주면 되잖아. 간단한 건데 뭘 그렇게 오래 생각해."

내가 말하자 모두 끄덕였다. 화해 했음에도 불안하다. 너무 간단하게 된 것 같다. 이렇게 간단할 수 없는데 싶었지만, 화해를 안 하고 싶진 않았다.

"얘들아, 들어가자."

학교로 들어와 같이 있음에도 이상했다. 예전에 따뜻한 눈빛은 없고 눈 속엔 공허함 만이 있었다.

집에 돌아와, 화해 했는데도 달라지지 않는 이유를 찾다가 끝내 깨달았다. 화해 한다고 했지만, 사실 우리들은 감정을 숨기고 있던 것이다.

'나는 이렇게 친구들과의 메모리에 집착하는 거야. 친구는 힘들게만 해. 즐거웠다고? 다 처음에만 그런 거지. 자주 보면 질리고 싸우고 서로를 이해하지 못해!'

그렇지 않다고 믿고 싶었다. 소리치고 싶었다. 하

지만, 지금 우리 상황을 보면 맞는 말이었다. 같은 반이 되어 마냥 기뻐질 줄만 알았는데 실상은 미워하고 힘들고 지친 모습이다. 마음속으로 민이, 파랑, 시원이를 옹호하고 있었지만, 미워했다. 행복했던 메모리조차 떠오르지 못하게 만든 너희가 밉다. 맨날 나만 사과하고 생각하는 것 같아 슬프다. '항상 나만 너희를……'

'더 미워지기 전에 끝내야 할까?. 그게 나한테도 개네한테도 편한 길인 것일까?'

이것만큼은 인정해야 할 것 같다. 자주 보면 질리고… 이해하지 못한다는 거.

같은 반이 된 지 9개월이 다 돼가는 날이 되었다. 매일 밤, 잠을 설치는 바람에 몸도 마음도 만신창이다. 너희들은 기력 없는 나를 알아챘는지 괜찮아?, 하고 물었다. 그럼에도 나는 너희가 두려웠다. 이렇게 살갑다가도 언제 서로에게 총을 겨눌지 모른다는 생각 때문이다.

그래서 은근히 피해 다녔다. 쉬는 시간에는 화장

실을 가거나 자고 급식도 혼자 먹고 하교도 혼자 했다. 나는 멀리서 너희를 바라봤다. 내가 없어도 괜찮은 것 같으니까, 고집이 생겨서 더 피해 다닌 것 같다.

혼자 다니는 게 외롭거나 불편하진 않았다. 상처를 줄 걱정 안 해도 되고, 상처받을 걱정도 없고 힘들지도 않고 고민할 필요도 없고 이전보다 편한 것 같다.

지금의 여유를 만끽했다. 단지 너희가 내 소중함을 몰라주는 것 같아 서운했다.

'죽는 날까지 하늘을 우러러 한 점 부끄러움이 없기를 잎새에 이는 바람에도 나는 괴로워했다.' 윤동주에 시 중 '서시'라는 시다. 이 시는 친구들에게 부끄럽지 않게 살고자 하는 마음이 담긴 시이다. 나는 너희들에게 부끄럽지 않게 살아온 걸까?, 너희들이 나를 부끄럽게 생각한다면 나는 정말 못 견딜 것 같다. 그렇지만, 지금도 이렇게 막무가내로 혼자 있겠다고 선포한 거나 다름없이 행동하는 나를 너네는 부끄러워하지 않을 수 없겠다. 나도 내가 부끄러우니.

너희가 나를 대하는 그 모습 하나하나가 부정적으로 떠올랐다. 그런 애들이 아니란 걸 알고 있음에도 나는 너희가 바뀐 거로 생각했다.

나 하나 없어도 바뀌지 않는 세상, 내가 멈춰 있어도 시대는 빠르게 흘러간다. 그런 세상에 살고 있는 이유 중 하나는 날 잃었을 때 세상은 슬퍼하지 않겠지만, 너희들은 슬퍼해 줄 것 같아서이다. 너희와 한 공간에 있는 모든 시간은 낭만이었으며, 청춘이었다. 너희와 함께 있는 그 순간만큼은 아무리 80세가 넘는 노인일지라도 청춘일 것 같았다. 그럼에 나는 지금 너희와 함께하고 있지 않은 이 순간이 싫어졌다.

처음 너희를 대할 때는 연인과 같았다. 부드러운 말과 애정이 어린 말뿐이었다. 그렇지만, 지금은 사춘기 때 엄마를 대하는 것과 같다. 뭘 해도 짜증 나고 날 선 말에 부정적인 말만 한다. 너희와 나의 관계뿐만 아니라 시원, 파랑, 민이, 너희 세 명에 각각의 관계 또한 이러하다고 느꼈다. '이쁘다, 좋다, 행복하다, 즐겁다.' 같은 말은 낯간지러운 말이어서 잘 하지 않게 되는 말이 되었다.

너희와 이렇게 되고 싶은 게 아닌데, 어떻게 해야 할지 모르겠다. 말은 꺼내기 두렵고 내가 먼저 행동하기는 어렵다. '우리가 다른 반이 됐다면 달랐을까? 우리가 자주 보지 않았다면 더욱 애틋했을까?'

같은 반이 된 지 9개월 하고 15일, 나날을 혼자 다녔던 나는 너희라는 큰 존재에 의미를 다시 한번 깨달았다. 싸워도 가끔은 힘들어도 그건 정말 잠깐인 것을. 나는 힘든 것보다 행복할 때가 많았는데 내 행복을 생각지 못하게 했다는 걸 알게 되었다.

'다시 친해질 수 있을까? 만약 다시 친해질 수 있다면, 그다음은?' 친해지는 방법도 친해진 관계를 이어 나가는 방법도 모른다. 나는 어떻게 중학교 1학년을 친하게 지내 왔는지 생각해 보지만 그때도 우린 말만 안 했을 뿐 서로에게 힘든 점은 있었다.

오늘의 나는 내일의 나에게 매일 밤 이쁜 말, 좋은 행동을 하자, 다짐하지만 쉽게 바뀌지 않는 행동은 제자리걸음이거나 더 나빠질 뿐이었다.

같은 반이 된 지 9개월에 끝자락인 12월에 말이다. 지금 우리의 메모리에는 힘듦도 슬픔도 행복도 기쁨도 없다. 같이 있음에도 빈 공백이었고 예전으로 돌아간 것만 같아도 실은 계속 제자리였다던가 너희는 내게 계속 잘해주는데 내 맘은 굳었다.

"다원아, 우리 여기 놀러 갈까?"

"음, 나 피곤해서."

"그래? 어쩔 수 없지……."

예전 같았으면 당연히 수락했을 제한을 핑계로 거절하는 일이 잦아졌다. 너희들은 괜찮다고 늘 말하지만, 너희를 오랜 시간 지켜봐 온 나는 안다.

민이는 표정을 잘 숨기지 못한다는 거, 시원이는 서운하면 말끝이 낮아진다는 거, 파랑이는 민망하면 이마를 만진다는 거쯤은 알고 있음에도 모른 척했다. 인정하기 싫었다. 분명 너희가 바뀐 건데 내가 바뀌었다는 생각이 드니까 무서웠다.

마지막 교시가 끝나고 종례할 때 창밖에서는 비가 한 방울 두 방울 떨어지고 있었다. 금방 그치겠지 싶었지만 신발장을 나설 땐 비가 하늘이 무너지도록 거세게 내렸다.

"우리랑 같이 갈래? 비 오니까, 데려다줄게."

민이, 파랑이, 시원이었다. 터미널까지 데려다준다는 배려에 말이었다.

"아니, 괜찮아, 금방 그치겠지."

"아, 그럼, 나중에 봐."

너희들은 거센 빗속으로 사라져갔다. 같이 가자는 말에 솔깃했지만, 내가 이렇게 너희에게 못되게 구는데 무슨 염치로 같이 갈 수 있겠냐는 마음이었다. 바이러스에 지배당한 나의 마지막 양심이었다.

비가 그치기를 신발장에서 10분이고 20분이고 기다렸다. 비는 그치긴커녕 더 많이 내릴 뿐이었다. 나는 어쩔 수 없이 비를 맞으며 가기로 하였다. 후드티를 쓰고 빗속에 뛰어드는 순간 나는 비를 맞으며 멈춰 섰다. 갑자기 눈에서 비가 오기 시작했다. 바닥에 떨어지고 있는 게 비인지 눈물인지 헷갈릴 정도로 눈물은 한꺼번에 솟구쳤다.

너희들에게 너무 미안했다. 어쩌면 너흰 처음부터 지금까지 그대로였는지도 모른다. 바뀐 건 나인가 보다. 바이러스는 내가 너희를 생각했던 또 다른 마음이었을까, 바이러스는 내 잘못을 감추려는 방법이었다. 즉 바이러스는 나였나 봐.

행복을 말하던 내 메모리는 사실 기분 나쁜 일을 숨기려 자기 합리화를 한 것이다. 처음부터 마냥 좋은 일만 있던 것도 아니었는데 한 번에 나쁜 일을 터트리게 했다. 나의 메모리 장치는 고장 나 있었다.

비도 나를 꾸짖듯 때렸다. '싫다, 이런 나는 치욕스럽다. 내가 너희를 사랑한 거만큼은 진심이라고 말할 수 있을까?' 처음부터 너희는 갈등을 해결하려 노력했는데 나만 그 갈등이 해소되지 않을 것처럼 행동했다. 너희에게 사과해야 할까? 내 잘못을 안고 친구 관계를 끝내야 할까?, 비가 옷을 다 적셔 축축해지는 줄도 모르고 서 있었다.

"다원아, 왜 그러고 있어?"

"그러니까, 같이 가자 했잖아."

"하여튼, 말 안 듣지."

비가 나를 때리는 듯한 느낌이 사라져 고개를 들어보니 나에게 우산을 씌워 주고 있는 너희가 있었다. 또다시 눈에선 파도가 쳤다. 왈칵 쏟아내는 눈물은 미안함인지 고마움인지 모를 복잡한 감정이었다. 그러다 너희를 확 껴안았다. 너희는 당황해하면서도 축축하고 찝찝한 나를 안아주었다. 그리고 너희는 갑자기 우산을 접고 같이 비를 맞았다.

"왜, 우산 안 써?……"

"너 혼자 젖어 있으면 창피하잖아."

누가 그랬던 것 같다. 비 오는 날 우산을 주면 단순히 배려지만, 같이 비를 맞는 것은 사랑이라고. 갑자기 그 말이 떠올라 감정이 복받쳤다.

나는 지금까지의 일을 하나도 빠짐없이 모두 이야기하였다. 너희는 진지한 태도로 경청하더니 잠시 말없이 따뜻하게 안아주었다. 그 행동이 무슨 말을 하는지 알 수 있었다. 이것도 너희를 오래 봐서인 걸까? 너희는 내게 미안해, 사랑해, 딱 두 가지를 말하고 있는 것 같았다. 눈을 지그시 감으며 나도, 조용히 속삭이듯 말했다. 그렇게 한동안 우린 서로를 안아주었다. 난로보다 따뜻했고 이불 속보다 포근했다. 따뜻한 사랑에 감정은 너희가 아니면 느끼지 못할 영원할 사랑이었다.

"다원아! 저기서 파도가 와!"

눈을 뜨니 바다였다. 맞다, 우린 그렇게 서로에게 모든 걸 털어놓고 해결해 주며, 각자 집에 들어가 전화하며 바다에 갈 다음 약속을 잡았었고 지금 바다에 와있다.

나는 벤치에 앉아 눈을 감고 바람을 느끼며 시원이와 파랑이, 민이에 즐거워하는 소리를 듣고 있었다. 내가 눈을 떴을 땐 해변에서 뛰어놀고 있는 너희가 보였다.

"얘들아, 이리 와 봐."

파랑이가 부르자 우린 바다 앞에 모여 앉았다. 겨울의 해변은 추웠다. 하지만, 옆에 따뜻한 온기를 나눠줄 너희들이 있기에 여름 같았다. 여유를 즐기며, 파도 소리를 듣고, 수다 떨면서 차가운 바다를 누렸다.

'미안해' 그 한마디는 매번 하면서 고맙다는 말은 하지 못했던 것 같다.

"우리 영원히 친구 하자! 늘 매번 항상 고마워."

저번과 같은 약속을 했다. 우린 모두 망설임 없이 새끼손가락 걸고 맹세했다. 저번처럼 갈등이 생기고 또 싸우고, 다시 서운해지고, 미워져도 그

끝은 영원한 우정임을 알기에 망설임 따위 없었다.

영원은 시간을 초월하여 변하지 아니하는 것을 뜻한다. 나의 몸과 성격은 변할지언정 너희와의 우정은 결코 변하지 아니할 것이다. 이십 대가 되어 연애해도 삼십 대가 되어 결혼해도 팔십 대가 되어 늙어가도 너희를 사랑하는 마음은 변하지 않겠다고 시간을 초월하여 미래의 나를 대신해 다짐하겠노라. 잠깐은 휘고 구부러질지언정 절대 부서지지 아니할 것이다.

그렇게 너희들과의 문제로 다시 힘들어진다 해도 뼈저린 아픔을 느낄 수 있다고 해도 나는 너희들의 메모리에 들어갈 것이다. 신이 내게 우리가 만나기 전으로 돌아가게 해주신다 해도 나는 같은 선택을 할 것이고 놓지 않을 것이다.

드넓은 바다에 치는 파도는 우리에 자장가가 되어주었고 너희들은 깊은 심해 같은 사랑을 느끼게 해주었다. 너희들의 메모리 속에서 난 늘 행복했고 앞으로도 그럴 것이다.

"2025년 1월 1일 2시 30분, 드넓은 바다를 증인으로 영원한 친구일 것을 굳게 맹세합니까?"

"네, 맹세하겠습니다."

추운 바다. 바람은 불고 파도는 거세고 너흰 내 옆에 있고, 다시 한번 영원을 맹세해 봅니다.

스물다섯
고장 난 메모리

어느덧 25살에 어른이 되었다. 우여곡절 끝에 우린 계속 친구라는 명칭에 인연을 이어갔다. 파랑이와 시원이 그리고 나는 안정적인 직장을 다니고 있고 민이는 경찰 준비로 바쁜 나날을 보내고 있다. 나이가 들고 시간이 흘렀음에도 여전히 싸우기도 하고 미워하기도 하지만, 사과하고 이해해 주며 우정은 멈출 수 없는 기관차처럼 끝없이 달렸다. 예를 들어 좋아하는 거와 가치관이 달라 네가 맞네, 내가 맞네, 싸우는 거. 딱 그 정도에 유치한 싸움이었다.

이젠 우리 앞에 장애물 따위는 없겠구나, 했다.

그렇게 평생을 행복만 하면 얼마나 좋았을까. 평소와 같이 회사 일로 바쁘게 하루를 보내는 데 전화가 왔다. 여보세요, 전화를 받자, 수화기 너머 떨리는 목소리로 시원이가 말했다.

"다원아⋯⋯, 민이가 지금 다쳐서 병원에 있데⋯⋯"

나는 병원 위치를 물어보고 급히 택시를 타고 곧장 그곳으로 향했다. 민이가 입원해 있다던 병실에 들어가 병실 침대에 앉아있는 민이를 보자마자 와락 안았다.

"다행이다, 많이 다친 줄 알고 엄청 쫄았잖아!⋯⋯"

"누구세요?"

민이의 한마디에 고개를 들었다. 뒤에서는 시원이와 파랑이가 뛰어와 민이를 안았다. 나는 다급하게 민이에게 물었다.

"나야⋯⋯, 다원이 네 친구."

"네? 모르겠는데……."

시원이와 파랑이도 자신을 기억하냐며 물었지만 한 개도 기억나지 않는다고 했다. 뒤에서 지켜보시던 민이의 어머니가 우리를 병실 밖으로 불러 이야기하셨다.

"민이가 빙판길에서 넘어졌는데 머리부터 떨어져서 기억 상실증에 걸렸어. 정확히 말하면 전역 기억 상실증이라고 과거와 최근 모두 기억하지 못하는 상태야. 다행히도 그것 빼고는 크게 다친 곳은 없어. 너희가 우리 민이가 기억할 수 있게 도와주면 안 되겠니?……"

다리의 힘이 풀리는 것 같았다. 멀쩡한 것 같았는데 아무것도 기억하지 못하는 상태라니, 절망스러웠지만 어머니가 훨씬 괴로우실 걸 알기에 담담하게 말했다.

"걱정하지 마세요. 저희가 얼마나 오래 친구였는지 아시잖아요. 금방 기억 찾을 수 있게 할게요."

민이 어머니는 고맙다며 손을 잡아주셨다. 시원

이, 파랑이와 나는 민이의 병실로 다시 올라가 문을 열었다. 민이는 하염없이 창문을 응시할 뿐이었다. 그 모습이 소리 내진 않았지만, 마음 깊이 슬피 우는 것 같았다.

우리는 민이에게 다가가 사소한 것부터 차근차근 말하기로 하였다.

"민이야, 일단 우린 20년 지기 친구야. 힘들고 무서운 거 아는데 어디부터 기억나는지 알려 줄래?"

"모르겠어요, 나도 당신들도 아무것도 모르겠어요."

이미 해탈한 것 같이 초점 없는 눈은 포기한 것 같이 공허했다.

"괜찮아, 우리가 알고 있으니까."

시원이가 말하고 파랑이가 덧붙였다.

"너를 간추려 보자면, 활기차고 경찰관이 꿈이던 자신감 넘치는 애였어. 정의로운 걸 좋아했고, 배려하는 게 당연하다고 생각했던 너를 우린 참 사랑했어."

"물론 지금도 기억은 없지만 그대로인 너를 사랑해. 그러니까 힘내자, 도와줄게."

민이는 어린아이처럼 울음을 쏟아냈다. 기억은 없는데 시계는 돌아가고 세상은 흘러가니 얼마나 두렵고 무서웠을까, 미안했다. 더 빨리 오지 못한 것이 너무 미안하고 슬펐다. 우리는 서로를 보듬어 주며 흐느꼈다. 한 명 때문에 멈추지 않는 세상, 그렇지만 우린 멈춰 있다. 민이, 너 하나를 위해. 어쩌면 나를 위해.

하지만, 민이는 혼란스러운지 모든 것에 겁내기 일쑤였다. 나가는 것도 잠을 자는 것도 무서워했다. 하루 종일 울기만 하고 밥도 제대로 먹지 않았다. 눈은 하루 종일 새빨갛게 달아올라 있었고 눈은 퀭해서 예전에 밝은 민이가 맞는지 걱정됐다. 우리는 어떻게 해야 할지 고민 해봤지만, 우린 민이를 온전히 이해할 수 없다는 걸 알았다. 그렇다고 이렇게 놔둘 수는 없기에 우린 민이를 성급

하지 않게 천천히 응원해 주기로 했다.

평소 같이 밥을 거부하는 민이를 위해 평소에 좋아했던 고기를 종류별로 사 왔다. 기억은 없어도 입맛은 그대로이길 바랐다.

"민이야, 고기 좋아했었잖아. 먹어 봐."

민이는 힘없는 팔로 간신히 젓가락을 들더니 바짝 마른 입에 고기를 한 점 넣었다. 오물오물 씹는 입에 난 온 신경을 세웠다.

"맛있다……."

작게 말하고는 한 점, 두 점 먹어나가기 시작했다. 다행히도 여전했다. 기세를 몰아 지금 기분이 제일 안정된 것 같아 시원이가 말을 꺼냈다.

"민이야, 우리랑 같이 여행 갈래?"

민이는 놀란 듯이 왜요?, 하고 물었다. 나는 기억도 다시 찾아보면 좋을 것 같아서, 하고 말했다.

"그런데도 기억이 안 돌아오면 어쩌죠? 그때는 정말 포기하고 싶어질 것 같은데."

의기소침해지며 말하는 민이가 낯설었다. '언제

나 자신감 있게 말하는 너였는데.'

"기억을 못 찾더라도, 새로운 기억을 쌓으면 되지! 그냥, 여행 가는 거야."

파랑이의 말이 맞는다. 살아간 날보다 살아갈 날이 더 많은 우리에겐 기회가 있다.

민이는 깊은 고민에 빠졌다. 어떻게 보면 간단하기만 한 결정이 민이에겐 너무도 힘든 말이었나 보다. 사람들은 늘 넘어져도 일어나면 된다, 말한다. 그렇지만, 일어나는 법도 모르고 일어나는 것이 쉽지 않은데, 머릿속으로는 알지만 잘되지 않는 것을 너무나도 쉽게 한 문장으로 별거 아닌 것처럼 꾸며낸 걸까?

우린 숨죽이며 민이에 결정이 제발 우리와 같기를 기도했다. 민이는 간절한 우리에 눈빛에 응답하듯 같이 여행해 볼래요, 힘겹게 말해주었다.

"고마워! 우리 즐겁게 여행하자!"

시원이, 파랑이와 나는 기쁘게 말했다.

우리는 과거로 돌아가기로 했다. 같이 갔던 장소

들을 한 개씩 기억해 보자는 마음이었다. 나와, 시원이 파랑이는 회사를 그만두었다. 과거로 돌아가는 것이 오래 걸릴 것 같기에 우린 회사를 포기했다. 돈도 꽤 모아놨으니 괜찮았다. 민이는 우리에게 미안하다고 계속 말했다.

"네가 미안해할 것 없어. 돈도 있고 나도 어렸을 때로 돌아가고 싶거든 추억 여행하고 싶어서 그런 거니까 괜찮아."

파랑이와 시원이도 고개를 끄덕였다. 민이가 기억을 찾을 수만 있다면 돈도 시간도 아깝지 않았다.

"고마워요, 뭔가 지금 나는 기억 메모리가 고장 난 기계 같아요."

"우울해하지 마. 고장 나면 고치면 되지."

"그래, 나 손재주 좋은 거 알잖아. 기억 안 나려나."

"민이야, 그렇다고 기억 찾으려고 너무 애쓰지 말고 여행한다고 생각해."

의사는 앞으로 기억하는 것에 이상이 없다고 했고, 민이는 약물 치료도 받으며 무사히 퇴원했다. 우리도 그 곁을 지켰다. 퇴원한 날 우린 렌터카 한 대를 빌려 여행을 계획했다. 우린 제일 먼저 우리 네 명이 처음 모인 초등학교에 가기로 하였다. 다행히 작은 학교였음에도 폐교되진 않았다. 그곳은 차로 3시간 거리기에 우린 내일 오전 6시에 만나 출발하기로 하였다. 그렇게 헤어져 각자의 집으로 돌아갔다.

다음 날 아침, 우리는 짐을 바리바리 싸서 힘차게 출발하였다. 민이는 여전히 우리에게 존댓말을 썼지만 어른이 돼서 거의 오랜만에 다 모여서 여행을 가는 거여서 솔직히 신났다. 민이는 조수석에 앉았다. 나는 운전 했고 뒤에는 시원이와 파랑이가 앉았다. 일찍 출발해서 그런지 뒷좌석 친구들은 금방 곯아떨어졌다. 옆에 민이는 피곤하지도 않은지 창문 너머 풍경을 보고있었다.

"민이야, 안 피곤해? 한숨 자도 되는데."

"괜찮아요, 지금, 이 순간만큼은 기억하고 싶어서
요."

"음, 그래."

어색한 정적 속에서는 숨소리도 들릴 정도로 조
용했다. 어색함을 깨고자 말을 건넸다.

"우리 친군데 왜 존댓말 해?"

"아, 아직은 어려워서요."

"편하면 존댓말 해도 괜찮아."

끄덕이는 모습이 마치 동생이 생긴 것 같았다.
나도 아직은 존댓말 하는 친구가 어색하지만, 나
보다 더 힘든 건 민이니까 이 정돈 별거 아니라고
생각했다. 뒷좌석 애들은 다 도착해서야 일어나더
니 고생했다며 어깨를 두드려 주었다.

도착한 학교는 많이 바뀌어 있었다. 이래서야 기
억을 되찾을 수 있을지 걱정이 되었다. 민이는 차
에서 내려서 찬찬히 눈으로 학교를 담고 있었다.
파랑이와 시원이도 바뀐 학교가 신기한지 이곳저
곳을 둘러보았다. 딱 한 가지 안 바뀐 것은 교장

선생님이셨다. 교장 선생님께 인사를 드리자 교장 선생님은 우리를 알아보셨는지 반가워해 주셨다. 교장 선생님은 생활 기록부를 보여 주신다며 우리를 교장실로 안내해 주셨다. 좋은 기회라고 생각했다. 자기 자신을 기억하지 못하는 민이에게 좋은 방법이었다. 우리는 각자의 생활 기록부를 읽어갔다.

나에 어릴 적 꿈은 축구선수라고 나와 있었고 시원이는 작곡가, 파랑이는 유치원 선생님, 민이는 배우였다. 정말 귀여운 꿈들이었다.

민이는 진지한 얼굴로 생활 기록부를 읽어보더니 무언가 기억 났다고 했다. 자신은 꿈이 정말 많았다고 한다. 성우, 배우, 연예인 등등 꿈은 거의 매일 바뀌었고 경찰관은 중학생부터 꿈꿔 왔다고 말이다. 나와 시원이, 파랑이는 정말 기뻐했다. 사소하지만 스스로 기억해 냈다는 건 다른 것도 기억할 수 있을 거라는 희망이었다.

초등학교를 조금 더 둘러보았지만, 큰 수확은 없

었다. 민이는 기죽은 듯 보였다. 파랑이는 민이에게 말했다.

"처음에 아무 기억도 없는 상태로 일어났을 때 어땠어?"

"막막하고 무서웠어요."

"그래, 막막했지만, 한 개 기억해 냈잖아. 그럼, 그다음은 쉬울 거야."

"모두 기억해 낼 때까지 옆에 있어 줄게."

시원이가 말하자 민이는 강한 의지가 담긴 목소리로, 네! 할 수 있어요!, 하고 말했다. 기억은 못 해도 성격은 똑같다고 생각했다. 천 리 길도 한 걸음, 급할수록 돌아가야 하듯 천천히 메모리의 퍼즐을 맞춰 가면 될 거 같다.

해가 점점 저물어 가기 시작할 때 우린 차로 돌아가 간단하게 컵라면을 먹고 내일을 위해 빠르게 잠에 청했다.

나는 쉽게 잠을 자지 못하고 눈만 깜빡이며 20분을 보냈다. 그사이 잠에 빠진 세 명에게 이불을

덮어주기도 하며, 뜬눈으로 밤에 울음소리를 듣던 중 나는 담배 한 대를 피우기 위해 조용히 차 밖으로 나갔다. 밤에 선선한 바람 속에서 탁탁 라이터 불을 담배에 지폈다. 한 번 빨아드릴 때는 아무 일도 아니라고 생각한 민이가 무너지기 시작했던 그 병원이 떠 올랐다. 추워서 그런 건지 손은 바들바들 떨렸다. 한 번 후~, 하고 뱉은 연기와 한숨은 합쳐져 밤 속 공기와 섞어져 갔다. 눈은 주책맞게 소나기가 오려 하더니 결국 왈칵 홍수가 되었다. 볼을 적셔 가지만 울음소리는 나지 않는 이상한 눈물이었다.

솔직히 힘들다. 민이가 우리를 모른다는 현실도 내가 할 수 있는 거라고는 될지 안 될지도 모르는 허상인 것이 뼈저리게 아프다.

눈물이 흘러 담배에 닿아 불씨가 약해졌음에도 담배는 제구실하듯 나를 끝까지 가벼운 낙엽처럼 만들어 주었다. 담배를 끊은 지도 1년이 다 되어 갔지만, 오늘은 꼭 필요할 것 같아서 출발하기 전한 갑 주머니에 쟁여 났었다.

나는 궁상 맞게 감성 느끼지 말고 자자, 하며 담배를 끄고 들어가려 했다. 뒤에서 인기척이 들려 확 뒤를 돌았을 때 민이가 담요를 덮은 채 나를 보고 있었다.

"민이야, 왜 나와 있어. 들어가자."

"울었어요?"

눈치 빠른 민이의 질문에 나는 차마 거짓말을 할 수 없어 아무 말도 하지 않았다. 민이는 내 옆까지 다가오고는 내게 담배 한 대 달라고, 말했다.

"민이야, 너 체력 안 좋아진다고 담배 안 피우잖아."

"안 피웠을 것 같은데, 시도해 볼게요."

왠지 주어서는 안 되는 것을 주는 느낌이어서 여러 번 거절했지만, 고집 센 민이를 나는 막을 수 없었다. 민이에게 담배를 가르쳐 주게 된 것은 내 삶에 큰 미안함이 될 것이다.

민이는 담배를 물고 불을 지폈다. 한 번 빨고 캑

캑거렸으면서 담배를 놓지 않았다. 걱정되었지만 민이도 어른이기에 더 이상 말리지 않았다.

"민이야, 왜 담배를 피우고 싶어 하는 거야?"

"담배를 같이 피울 때 친분이 많이 쌓인다고 아빠가 그랬던 거 같아서요."

"그래도 많이 피우지 마, 너랑 안 어울려."

민이는 담배를 끄고는 고개를 돌려 내게 물었다. 왜 안 어울리는 되요?, 나는 곰곰이 생각해 입을 뗐다.

"너는 건강하고 해로운 것과는 거리가 멀어, 청정 구역 같은 거일까."

민이는 풉- 하고 작은 미소를 띠었다. 기억을 잃고 처음으로 웃는 이 순간을 너는 몰라도 나는 기억하겠다고 마음속으로 다짐하던 그 밤을 나는 메모리 속에 저장했다.

차에서 잠을 자는 건 나름 괜찮았다. 몸이 조금 뻐근해도 파자마 하는 것 같아 좋았다. 노을 앞에서 한 참 기지개 펴고 있으니, 뒷좌석에 뭣 모르고 자고 있던 두 명이 일어났다. 파랑이와 시원이는 나를 살포시 안았다. 비몽사몽 해도 내가 힘든 건 아는 모양이다. 지켜보고 있던 민이를 끌어 다 같이 모닝 포옹을 했다.

대충 생수로 세수하고 다음은 어디를 갈까, 고민했다.

"우리 예전에 어디 많이 갔었지?"

시원이가 말하자 다 같이 깊은 고민에 빠지기 시작했다.

"아! 우리 벚꽃 필 때 바다에 가는 길 걸어가는 거 많이 해 봤잖아."

파랑이가 발명이라도 한 듯 말했다. 근데 지금은 벚꽃 안 필 텐데, 걱정했지만 파랑이는 뭐가 걱정이냐며 벚꽃은 없어도 나무도 길도 풍경도 똑같을 거라며 가자고 했다. 내 걱정은 파랑이 앞에 가면 아무것도 아닌 게 된다. 물론 그래서 좋다.

"그럼, 다음은 벚꽃 안 핀 벚꽃길!"

나도 신이나 일어나 외쳤다. 그러자 애들이 다

같이 일어나 예! 하며 활기차게 출발했다. 우리가 머문 곳에서 15분 거리였다.

그곳은 유명한 벚꽃길도 아니었다. 그저 우리가 사랑했던 길이었을 뿐이다. 우린 항상 바다로 가는 버스가 있음에도 벚꽃을 보기 위해 다리가 아파도 걸어갔었다. 벚꽃 잎은 늘 그날의 추억을 싣고 가듯 바람을 따라 흩날렸다. 그 사이에서 민이는 사진을 참 많이도 찍었었다. 그날 핸드폰에 찍힌 사진들은 오십 장은 훨씬 넘었을 것이다.

우리는 이번에도 걸어가기 위해, 같이 걸어갔었던 곳에 차를 세웠다. 벚꽃 없이 휑한 나무도 볼만했다. 우리 네 명은 길을 걷기 시작했다. 바람이 날카롭게 불며 앞으로 나아가는 것을 힘들게 했지만 우린 멈추지 않았다.

"민이야, 기억나는 것 같아?"

시원이가 민이에게 조심스럽게 물었다.

"낯선데 친숙한 이 느낌은 뭘까요? 근데 어여쁜 곳이네요. 저 사진 좀 찍어 주세요."

파랑이는 웃으며 사진 귀신인 건 여전하다고 말했다.

그 말에 날카로운 것만 같았던 바람은 시원하게 느껴졌다. 각자의 눈에 서로를 담았다. 너희들의 메모리 속 내 기억은 장편 소설이었으면 좋겠다. 이렇게나 너희들과 내가 환상적이니까.

길고 긴 거리도 같이 걸으니 짧은 소시지에 불과했다. 끝이 보이지 않는 바다가 보이고 그곳으로 뛰어갔다. 모래사장을 맨발로 밟으며 바다를 느꼈다. 민이도 행복한지 뛰어다니다가 돌에 걸려 넘어졌다. 나와 파랑이, 시원이는 놀라서 민이에게 뛰어가 괜찮냐며 물었다. 민이는 아프지도 않은지 넘어진 상태에서 푸하하, 웃었다. 우리도 민이 옆에 털썩 주저앉아 웃었다.

우린 바다가 아니라 열다섯 살에 그 시절에 도착해 있었다. 서로를 애틋해하던 그 시절 그곳에서 웃고 있었다. 나란히 앉아 바다를 보았다. 그리고 민이에게 이곳에서 했던 어린 시절에 맹세를 알려

주었다.

"우리가 한 번 정말 쌓인 게 터져서 싸운 적이 있었어."

"맞아, 정말 극적으로 화해하고는 이곳에서 영원한 친구일 것을 맹세했었어."

민이는 저희가 싸웠다는 게 이해가 안 되네요. 이렇게 잘해주시는데, 라고, 말하였다.

"그때 우리는 서로를 미워했지, 열다섯이 어떻게 자신과 다른 친구들을 쉽게 이해할 수 있었겠어."

"그럼에도 우린 지금, 이 시각 함께잖아."

"네, 그렇네요."

먼바다를 보았다. 참아 갈 수 있을 거라고는 상상도 못 할 정도로 먼 그곳은 어떤 곳일까, 열다섯 살에 나는 생각했던 것 같다. 근데 어른이 되면서 그 생각은 불필요한 에너지 소비라 여겼었다. 세상에 불필요한 에너지가 어디 있겠는가, 그저 내가 바보여서 그런 것이겠지 느껴진 날이었다. 민이를 위한 여행은 나를 위한 여행이 되었다.

"끝까지 친구 하자."

"그래, 꼭 사랑하며, 행복 하자."

"꼭 그랬으면 좋겠어요."

사랑해, 그 단어는 얼어붙은 빙하도 녹일 만큼 따스운 마음이 담긴 사랑이다.

연인과 친구는 정말 한 끗 차이인 것 같다. 사랑하는 마음도, 애정 어린 행동도, 서로를 생각하는 머리도 연인과 친구의 공통점이지 않을까 싶다. 어쩔 땐 연인보다 친구를 더 아낀다고 생각할 때가 많으니까 말이다.

애들이 힘들어하는 것 같아서 나는 혼자 차를 끌고 오겠다고 했다. 너희들은 같이 갈 수 있는데, 했지만 혼자 가는 게 나을 것 같아서 홀로 길을 나섰다. 아침 일찍 와서 그런지 꽤 오랜 시간이 지났음에도 오후 두 시였다. 터벅터벅 추운 도로를 5분 정도 걸었을 때 하늘에서 눈이 내리기 시작했다. 올해의 첫눈이었다. 너희들과 함께 못 본 게 아쉬웠지만 혼자 보는 눈도 감성 있었다.

눈은 새하얘서 순수한 그때를 떠올리게 한다. 열다섯 살에 그 해 첫눈이 내리던 그날, 나는 눈을 보자마자 시원이, 파랑이, 민이에게 전화를 걸어 밖에 눈이 온다고 알려 주었다. 너희들은 내 말을 듣고 밖에 나가 눈을 보고는 와! 눈이다, 하며 내게 고맙다고 했었다. 그날이 떠오른다. '너희에게 도움이 된 나를 나는 참 뿌듯해했던 것 같아.'

그때도 지금도 너희는 달라지지 않았다. 나는 우리를 못 믿어서 영원을 여러 번 말하는 것이 아니라, 영원을 못 믿어서 여러 번 말하는 것이다. 시공간을 초월해 변하지 아니하는 것, 그 자체인 영원함이 변할까, 두려운 것 같다.

"참 바보 같네."

자신에게 말했다. 나는 어느새 차 앞에 도착해 있었다. 오래 기다릴 너희들이 생각나 빠르게 차에 타 너희에게 갔다. 추운 차 안에서 문득 민이가 추위를 많이 탄다는 걸 깨달아 히터를 켰다. 우리 중 유일하게 여름에 태어난 민이는 추위도 잘 탔다. 나와 시원이는 12월에 생일이고, 파랑이는 2월에 생일, 민이는 7월에 생일이다. 겨울에 태어난 나와 시원이, 파랑이는 여름보단 겨울을 좋아했으며, 민이는 여름을 좋아했다. 매 겨울 나는 가족보다 너희와 함께했고 겨울이 아닌 봄, 여름, 가을, 사계절을 모두 너희와 함께였다.

추위를 잘 타지 않는 나는 겨울이 못 견디게 춥다고 생각한 적 없는데 이번 겨울은 유난히 춥다 못해 힘든 것 같다. 겨울이 빨리 끝났으면 좋겠다고 생각할 만큼 이 순간이 지났으면 좋겠다. 여름이 되면 민이도 돌아오길, 쨍쨍한 햇빛이 쏟아지는 바다에서 네가 돌아오길 원한다. 겨울을 좋아하지만, 이번만큼은 여름을 기다린다. '이 겨울이 따뜻할 수 있을까?'

바다에 도착해 친구들을 태웠다. 오래 기다렸는지 무슨 일 있었냐며 묻는 너희에게 나는 추웠다고 말했다. 거짓말은 아니니까 말이다.

우린 그날 바다에 차를 세워두고 그곳에서 자기

로 하였다. 무수히 많은 별을 보며 잘 알지도 못하는 별자리를 맞추었다. 민이도 원래에 민이 같이 우리를 친구로 생각한 것 같아서 우리는 내심 기뻐했다.

차에서 먹을 수 있는 음식이 한정적이어서 우린 밥을 먹으려 바다에서 가까운 횟집을 갔다. 나는 엄청나게 좋아하는 회를 시켰고 친구들은 회를 잘 먹지 못해 매운탕을 시켰다. 어렸을 때는 매운탕과 회에 맛을 몰라 먹는 사람들이 이해되지 않았는데 요즘은 없어서 못 먹을 정도로 좋아한다. 천천히 밥을 먹고 나와 다시 차로 이동했다.

밤바다를 보며 차 안에서 서로 좋아하는 것, 싫어하는 것을 맞추는 게임을 했다. 민이에게 불리한 게임이지만 서로를 알아가는데 이것만큼 좋은 게임도 없다고 생각했다.

"파랑이는 엽기 사진 찍는 거 좋아하지?"

내가 먼저 파랑이에게 물었다.

"오~ 맞아, 시원이는 잠자리 싫어하지?"

"맞췄네, 민이는 파란색 좋아하지?"

"잘 모르겠어요……."

"민이야, 너 파란색을 제일 좋아했었어, 시원한 색깔을 좋아했었지."

"아, 나는 푸른색 계열을 좋아했구나. 알려줘서 고마워요."

우린 키득키득 웃고 떠들었다. 피곤했는지 오늘 밤은 빨리 잠들었다. 이렇게 서로를 알아가는 밤이 지나고 또다시 하루가 시작되었다.

밖에 나가 기억날 만한 장소가 어딜까, 머리를 쥐어짰다. 10년을 넘게 붙어 다니면서 같이 간 곳도 많은데 어른이 되고 고작 2년 동안 자주 못 봤다고 같이 갔던 장소가 기억나지 않는다.

또 민이가 엄지손톱만큼 밖에 기억해 내지 못했는데 이런 방식이 맞을까, 신에게 물어보고 싶었다. 그래도 병원에서 깨어났을 때보다 해맑게 웃는 민이를 보면 어떻게든 이게 맞든 틀리든 해보자는 마음밖에 안 떠오른다.

민이와 시원이, 파랑이가 모래에 글씨를 남기며 놀고 있기에 나도 뛰어가 같이 글씨를 새겼다. 열다섯 살보다 더 유치하게 '파랑, 시원, 민이, 다원이 여기 다녀감.'이라고 글을 썼다. 그러고 우린 다시 이곳에서 바다를 볼 것임을 기약하며 바다를 떠났다.

달리는 차 안에서 우리는 다음 목적지를 고민했다.

"우리 예전에 한 번 캠핑했었잖아. 거기 가보자."

"좋다, 가보자."

산이 코 앞에 있는 야영장으로 향했다. 산이 가까운 그곳은 우리가 처음 캠프를 갔을 때와 똑같았다. 텐트도 빌리고 가까운 마트에서 바비큐 재료도 샀다. 시원이, 파랑이, 나는 두 번째인 캠핑, 민이는 두 번째이자 첫 번째일 캠프를 한다.

우린 산에 산책로를 오르며 신선한 공기와 나무에 피톤치드를 느꼈다. 땅을 밟을 때마다 바스락

거리며 낙엽이 부서지고, 수많은 잎이 떨어져 낙엽이 되었음에도 나무는 바람이 불 때마다 잎이 서로 부딪히는 소리가 났다. 민이는 도토리를 줍고, 시원이는 민이를 바라보며 웃고, 파랑이는 그런 둘을 찍고 있었다. 우린 이곳에 왜 왔는지 이유조차 까먹은 듯 그저 놀았다.

그때 주머니에 진동이 느껴져 핸드폰을 확인해 보니 직장에서 친하게 지내던 동료에게 전화가 와 있었다. 나는 전화 좀 받고 올게, 말하고 전화를 받았다.

"여보세요?"

"다원아, 회사 왜 그만뒀어?"

"말하자면 길어, 그냥 친구 일 때문에."

"에? 누가 친구 때문에 일을 그만두냐, 아무리 친해도 각자 인생이 있는 건데."

"그렇게 말하지 마, 일은 다시 할 수 있고. 나한텐 소중한 친구야."

순간 각자 인생이라는 말에 욱해 걱정해 준 마음

을 무안하게 만들었다. 직장동료는 그래…… 나중에 보자, 애써 웃으며 전화를 끊었다.

담배를 피웠다. 잠시라도 안심됐으면 좋겠다고 생각했다. 담배에 독한 맛은 아득바득 살아온 나에 독함보다 달고, 담배에 잿더미는 내 몸에 썩은 살점보다 가벼웠으며, 조그마한 불씨는 나보다 빛났다. 인생에 누구나. 한 번쯤은 겪는 것이길.

복잡했다. 직장동료의 말처럼 정말 각자의 인생이니, 내가 오지랖인 걸까? 한참을 그 자리에서 멈춰 있었던 것 같다. 뒤에서 다원아, 빨리 안 오면 두고 간다, 친구들이 불렀을 때 그때 서야 뒤로 돌아 뛰어갈 수 있었다. 아무리 오지랖이고 각자 인생이 있는 거라고 해도 나는 우리의 인생이라고 말하고 싶었다. 즐거워하는 너희를 보고 내가 어찌하여 너희의 인생에 끼어들지 않을 수 있을까 싶었다.

너희들은 웃으며 빠른데, 하고 같이 산에서 내려갔다. 너희들의 뒷모습은 우리가 처음 이곳에 왔을 때보다 연륜이 느껴지고 듬직했다. 나이를 먹어갔지만 바뀌지 않는 것은 정말 우리가 함께인 것뿐이구나, 새삼 느껴지는 순간이었다.

텐트를 치고 바비큐를 먹으며 즐거운 시간을 보냈다. 하루의 마지막으로 캠프파이어를 하며 불멍을 하고 있었다. 과거에 회포를 풀며 민이는 열심히 경청해 주고 우린 열심히 과거 회상을 했다. 주 주제는 열다섯 살에 우리었다. 처음 싸우기도 하고 인생에 큰 반환점이었던 그 시절을 낭독했다. 한참 얘기하다, 짧은 정적이 흘렀다. 아마 그 시절에 각자의 아픔이 떠올라 그랬을 것이다.

"어렸을 때 꿈은 축구선수였는데. 용기가 없어서 꿈도 못 꿨는데. 시도라도 해볼 걸 살짝 후회되네."

"그러게, 그때는 뭐, 고등학교 어디 가지? 커서 뭘 해야 하지? 고민이 많았으니까."

그 시절 누구나 당연히 할 고민, 미래. 꿈을 정했든 못 정했든, 꿈을 이루든 못 이루든, 우린 미래로 간다. 언제나 그 시간 속에서 머물 순 없으며 현재는 과거가 되고 미래는 즉 현재가 되었다.

나의 축구선수라는 지극히 현실적인 문제로 포기하게 되었다. 내가 잘하는가의 대한 사실의 부딪힌 것이다. 잘했다기보단 좋아했던 축구를 나는 포기 했다. 지금 생각해 보면 어차피 축구선수는 못 했겠지만, 그때 부모님의 나를 위한 조언이 산산조각 난 유리 조각처럼 보이지 않는 곳에서 나를 찌르고 있다고 느껴졌다. 너무나 작아 빠지지도 않는 아픈 유리가 몸속에 몇십 년 동안 박혀 계속 문득문득 걸려 아프게 한다.

그렇다고 다시 열다섯 살로 돌아갈 수 있다, 하더라도 미래에 대한 불안한 걱정을 또다시 하고 싶지 않아 돌아가지 않을 것이다. 과거에 후회는 어느새 절망으로 변해 단단한 돌이 되었지만 그게 최선이었다.

"내가 되고 싶었던 건, 넓은 바다였던 거 같은데 왜 양동이에 고인 물이 되어 있을까."

시원이에 말의 모두 숙연해졌다.

"나는 그래서 민이가 부러워. 꿈이었던 경찰을 지금도 열심히 이루려 노력하고 있잖아."

진심 묻은 시원이에 말은 슬픈 눈물에 젖어 눅눅했다.

"경찰이 꿈이었다는 건 잘 모르겠지만, 꿈을 이루려고 노력한 내가 좋아 보이긴 해요. 하지만 저는 양동이에 고인 물이 바닷물이면 된다고 생각하기도 해요. 바닷물을 조금이라도 맛본 거라면 바다가 되고 싶었던 어린 시절에 나도 이해해 줄 거예요."

"그래, 고개 들어 하늘을 봐봐. 저 별과 우주가 나라고 해도 뭐라 하는 사람 없잖아. 그러니까 바다가 너라고 해도 멱살 잡고 너한테 따질 순 없어. 지금, 이 순간만큼은 바다는 시원이 하고, 민이는 별하고, 다원이는 숲하고, 나는 달하지 뭐."

파랑이와 달이 겹쳐 보이면서 빛났다. 시원이는 멍하니 하늘을 쳐다보더니 그래! 나 바다 할 거야! 바다 할 거라고!, 울음을 터트렸다. 잘 울지 않고 늘 의젓하던 시원인데, 바다가 되려는지 눈물로 바다를 만들었다.

민이도 글썽거리며 진짜 우리가 다 해버려요!, 한 마디하고는 바닷물을 보탰다. 오늘따라 돌아가고 싶지 않은 열다섯 살이 그립다. 힘들어도 좋았기에, 그 모든 고민이 의미 있었기에, 열다섯 살이니까 할 수 있던 고민이 아픈 유리 조각이 아니라 뼈와 살임을 깨달았다. 앞으로도 할 고민이 내가 자랄 수 있는 양분이기를 바랄 뿐이다.

바다, 별, 숲, 달. 우린 세상 그 자체이다. 서로에게만큼은 서로가 하나의 세상이다.

모닥불에 불이 점점 사그라지면서 우리도 점점 잠에 빠졌다. 꿈을 꿨다. 열다섯 살에 내가 지금의 나에게 나는 어른이 되어 뭐가 되었어?, 물었다. 나는 숲이 되었다고 답했다. 열다섯 살에 나는 아름답네, 하고 사라졌다. 아름답다는 의미를 물을 기회도 없이 꿈에서 깨버리고 말았다.

파랑이에 코 고는 소리가 들리고, 시원이에 팔이 내 이마에 있었으며, 민이에 발은 내 배에 있었다. 이렇게 현실감 있는 거 보니 꿈에서 깬 게 확실한 것 같다. 나는 옆에 세 명이 깨지 않게 조심히 일어났다. 공용화장실로 가 세수하고 돌아오는 길에 커다란 동백나무를 봤다. 어제는 잘 안 보였는데 자세히 보니 예뻤다. 겨울에도 녹색에 잎이 인상 깊었다. 동백나무 밑에 동백 씨앗들이 떨어져 있었다. 나는 왠지 모를 이끌림에 씨앗 한 개를 주워 가져갔다.

잠을 가만히 자지 못하는 세 명이 드디어 일어나 있었다. 나는 빨리 가서 세수하고 오라고 했다. 얘들은 아직 잠에서 안 깼는지 눈을 다 뜨지도 못하고 터벅터벅 공용화장실로 갔다. 얘들이 간 사이 나는 페트병을 반으로 잘라 흙을 넣고 동백 씨앗을 심었다. 잘 자라라, 속삭이기도 했다.

아침밥은 간단하게 간장 계란 볶음밥을 먹고 떠날 준비를 하는데 시원이가 나를 따로 불러 말했다.

"언제까지 이렇게 돌아다녀야 할까?"

"모르겠지만, 시간이 꽤 걸릴 것 같은데."

"어떡하지, 곧 있으면 다시 일을 해야 할 텐데."

그렇다. 우리는 돈을 벌어 쓰는 어른이기에 언제까지고 이렇게 다닐 순 없는 노릇이다. 그렇지만 민이가 기억하지 못한 것이 너무나 많은데 어떡할지 고민됐다. 나는 시원이에게 조금만 더 해보자는 말만 남겼다.

모두 정리하고 차에 탔다. 어디로 갈까?, 말하니 민이가 굳은 표정으로 각자 집으로 가요, 말했다. 파랑이는 의아하다는 듯이 물었다.

"아직 기억 다 못 찾았잖아?"

"피곤해서요, 기억은 나중에 찾아도 돼요."

나는 그래도……, 하며 걱정했지만, 민이는 끝까지 집으로 가자고 했다. 나는 민이가 피곤해서 그런가 보다 하고 모두를 집으로 데려다주었다.

오랜만에 집에서 여유 있는 하루를 보낸 것 같

다. 나는 애들에게 문자로 민이에 기억을 찾기 위해 신경 쓰자고 보냈다. 파랑이와 시원이는 답장을 보냈는데 민이는 읽지도 답장하지도 않았다. 이상했지만, 기다려 보자 넘어갔다.

기다리는 동안 나는 동백 씨앗에 대해 찾아보았다. 가을, 겨울에 씨앗을 얻어 심어도 뿌리를 내리고 싹을 틔우는 데에는 오랜 시간이 걸릴 수 있다고 한다. 어떤 사람은 3달 만의 싹이 났다는 사람도 있다. 씨앗이 겨울잠에서 깰 수 있게 꾸준한 노력과 관심이 필요하다. 흙이 마르지 않게, 씨앗이 썩지 않게 해야 하는 것이 핵심이다. 사람들은 식물을 키우려면 인내심이 있어야 한다고 했다. 꾸준하게 관리할 테니 나의 동백 씨앗도 몇 개월이 걸려도 되니까 건강하게 자라났으면 좋겠다.

다음날 아버지가 소중하게 생각하시던 아버지의 친구분께서 돌아가셨다는 소식이 들렸다. 나는 바로 아버지에게로 갔다. 항상 친근하시게 나에게 웃어 주시던 그런 분께서, 무엇보다 아버지가 믿고 의지하던 그 분을 이제는 볼 수 없다는 생각에 슬픔이 몰려왔다. 아버지가 괜찮을지 걱정되어 도착하자마자 아버지를 찾았다. 아버지는 울고 계시지 않았다. 오히려 덤덤해 보이셨다. 그렇지만 나는 알 수 있었다. 눈가가 빨개져 당장이라도 쏟을 것 같은데, 어른이라는 무게감에 눌려 차마 울지 못하고 계신다는 것. 나는 아버지에게 아무 말도 할 수 없었다. 누구에게나 찾아오는 이별을 아버지는 최선을 다해 받아들이고 계셨다. 나는 아무것도 하지 못하고 집으로 돌아갔다.

집에서는 언젠가 나도 너희와 이별하겠지, 이별이 아직 멀다 해도 상상만 해도 소름 끼치고 힘들다. 너희 같은 친구가 이 세상에 또 어디 있게나 싶고 이기적이지만 너희도 나를 제일 친한 하나뿐인 친구라고 생각해 줬으면 좋겠다. 다른 애랑 친하게 지내는 걸 보면 괜히 심술 나니까.

어느덧 일주일이 흘렀다. 꽤 시간이 흘렀는데도 민이는 문자를 하지도 내 전화를 받지도 않았다.

파랑이와 시원이도 민이에게 전화를 해봤지만 받지 않았다. 나는 민이에 집으로 찾아갔다. 무례한 거 알지만 정말 최후의 수단이었다.

민이의 집 앞에 도착해 민이를 큰 소리로 불렀다. 미이는 커튼을 열어 나를 확인했고 나는 재빨리 민이에게 다가가 민이에게 얘기하자고 했다.

"돌아가 줘……,"

민이는 커튼을 꾹 닫은 채 나에게 말했다. 나는 영문을 몰라 무슨 일 있어?, 물었다. 민이는 한동안 아무 말도 하지 않다가 말을 꺼냈다.

"그냥, 아무 일도 없으니까. 가도 돼."

"아무 일도 없는 게 아닌 것 같은데 내가 어떻게 가."

민이는 아무튼 빨리 가, 말하고 방으로 들어가 버렸다. 민이 갑작스러운 행동에 당혹스러웠지만 괜히 저럴 애가 아니라는 그 믿음을 가지고 말해줄 때까지 집 밖에서 기다릴 것이다.

"나 네가 말해줄 때까지 밖에서 기다릴 거야!

말하고 싶으면 나와서 말해."

아무 말도 하지 않는 민이에 집 앞에 쭈그려 앉아있었다. 앉아있는 내내 과거의 우리가 떠올라 한참을 미련하게 있었다. 기억을 잃은 게 민이에 잘 못도 아닌데 서로를 잘 알고 말 안 해도 통하고 그저 평범하기만 했던 민이가, 너희가 떠올라 슬펐다. 그리워해봤자 달라지는 거 없는 거 아는데 귀가 먹먹해지고 몸은 웅크려지니까 그때가 더 잘 떠올라서 미칠 것 같았다.

열다섯 살에 우리도 버텨 냈으니, 어른이 된 지금은 훨씬 수월할 것이라고 믿었다. 그런데도 무섭다. 분명 나이를 먹고 더 성장했는데 열다섯 살에 나와 같은 감정을 느끼고 있다. 몸만 큰 어린애같이 굴었다.

핸드폰에서 오늘의 명언을 알려 주는 알람이 울렸다. 흐리게 보이는 눈물을 닦고 핸드폰을 봤다. 오늘의 명언은 우정이었다.

-순결은 하얀색이라 금방 물들고, 사랑은 빨간

색이라 금방 바래지만, 우정은 무색이라 영원합니다.

사랑은 언제 떠나갈지 모르는 별이지만, 우정은 언제나 머무르는 별입니다.

손잡으면 위태위태한 것을 사랑이라 칭하지만, 손잡으면 닿을 곳에 있는 것을 우정이라 칭합니다.-

힘겹게 참은 눈물이 나올 것 같았다. '영원할 우정이, 손 뻗으면 닿을 우정이 없어지면 나는 혼자 살아갈래.'

손잡으면 닿을 곳에 있는 너희들인 거 잘 아는데 왜 한없이 불안할까.

도시에 생활 잡음과 발소리가 들리다 발소리가 내 앞에서 멈췄다. 나는 민이인가 하는 마음에 고개를 들었다. 고개를 들자, 내 앞에 있던 사람은 시원이와 파랑이었다.

"여기서 왜 이러고 있어. 그만 가자."

파랑이가 내 팔을 잡아 일으켰다. 하지만······.

말하려는데 시원이가 말했다.

"민이가 우리한테 전화해서 너 데리고 가달라고 말했어. 다원아 네가 우리를 아끼는 거 알지만, 민이도 어른이야. 오늘은 네가 선 넘었어."

나는 시원이에 말의 아무 말도 하지 못했다. 기억을 잃었어도 민이는 어른인데, 거기까지 생각하지 못하고 친구라는 이름으로 넘지 말아야 할 선을 넘어버렸다. 너무 이기적으로 행동했다. 민이는 그런 나를 보고 실망했을 거다.

시원이와 파랑이는 나를 집으로 데려다주었다.

"다원아, 머리 식히고 내일 얘기 하자. 데리러 올게."

시원이와 파랑이가 떠나고 집으로 돌아가 샤워하는데 오늘의 내가 얼마나 없어 보였는지 깨달았다. 나는 윤동주의 시를 반복하여 되뇄다.

"죽는 날까지 하늘을 우러러 한 점 부끄러움이 없기를 잎새에 이는 바람에도 나는 괴로워했다……."

친구들에게만큼은 부끄러움 없이 살자고 다짐했는데 정말 다짐뿐이었다. 너희에게 나는 너무 부끄러운 친구인 것 같아서 괜히 겁난다.

나는 열다섯 살에 나를 일으켜 줄 수 없다. 왜 그런가, 생각해 봤더니 답이 나왔다. 스물다섯 살에 내가 더 낮게 앉아있어서 열다섯 살에 다원이에게 손을 뻗어도 내가 더 낮아서 못 올려주는 것이다. 그게 내 위치인가 보다.

뜬눈으로 밤을 지새웠다. 피곤하지만 잠에 들지 못하게 고장 난 로봇이었다.

파랑이와 시원이가 과자와 콜라를 바리바리 챙겨 우리 집으로 찾아왔다. 우린 동그란 탁자 앞에 나란히 앉았다. 잠시 어색했지만, 그래도 친구라고 금방 편해졌다.

"다원아, 어제 내가 말이 좀 심했던 것 같아. 미안해."

"아니야, 어제는 내가 선 넘었지. 너희가 너무 애틋해서 내가 너무 오지랖이 넓었었던 거 같아."

우리는 민이에 대해 조금 더 깊이 대화를 나누었다. 민이가 왜 우리와의 연락을 끊었는지는 모르지만, 그럴만한 사정이 있을 거로 생각하고 기다리기로 했다.

  "민이 없이 이렇게 세 명 만난 것도 오랜만이네."

  "그러게."

  세 명에서는 잘 놀지 않았다. 네 명에서 놀았던 적이 훨씬 많았으니까 말이다.

  "내가 너무 과한가 봐, 친구 하는 게 꽤 어렵네. 그냥…… 너희한테 미안한 게 너무 많아서……."

  "웃겨. 네가 우리한테 뭘 잘 못 했다고 죄인처럼 구는 건데. 나는 네가 내 친구 해줘서 고마워."

  "나도 시원이랑 같은 생각이야, 네가 우리한테 잘못한 거 없고, 그런 생각한다는 게 너무 속상해. 너는 우리를 도대체 어떻게 생각하는 거야! 미안한 거라면 내가 더…… 미안하지."

  너희의 말은 아프게 혹은 슬프게 나의 마음에 고

스란히 자리 잡았다.

"사람이란 게, 알고 있음에도 확인받고 싶고, 인정 받고 싶고, 부정하고 싶은 거 아니겠어. 나는 너희에게 사랑을 확인받고 싶었나 봐. 네 잘못 아니야, 그 한마디가 듣고 싶었나 봐. 너희에게 부끄러운 나를 부정하고 싶었나 봐. 그렇게 나는 너희 사람이 되고 싶었던 것 같아."

"예전부터 넌 내 사람이었어."

우린 서로를 꽉 안아주었다. 요동치는 바다처럼 바위에 부딪히는 파도같이 강하고 거세게 앞으로 나아가려 한다. 앉아서는 남을 일으켜 줄 수 없다고 느껴졌다.남을 일으켜 주기 전에 내가 먼저 일어나 보려고 한다. 열다섯 살에 나에게 보란 듯이 일어나서 너도 꼭 일으켜 주겠다고 맹세했다.

시원이와 파랑이는 내게 위로지만 현실적인 조언 몇 가지 와 평소 같은 일상적인 대화를 짧게 하고 둘은 집으로 돌아갔다.

혼자 집에 누워 찬찬히 생각해 보면 예전에나 지

금이나 나만을 생각했던 적은 극히 드물었다.

그럼, 지금부터는 나를 위해 시간을 쓸 일이구나, 느껴졌다.

나는 어딘가 중요한 것을 깨달았다는 듯, 민이에게 음성 메시지를 남겼다.

-민이야, 내가 동백을 키우고 있거든. 근데 싹이 나려면 3개월이 걸릴 것 같아. 그러니까 동백이 싹을 틀 때, 다시 만나자. 그때까지 너는 경찰 준비하고, 나는 일어날게, 꼭.

나는 그날부터 민이와의 문자는 신경 쓰지 않았고 돈 주고 요가를 배워보고, 미뤄뒀던 책도 읽고, 동백이 잘 자랄 수 있게 공부하고 꾸준히 관리해 주며, 나를 가꾸어 나갔다. 처음엔 이게 맞나, 마냥 불안했지만, 지금은 마음의 평화가 찾아왔다. 지난 일들을 객관적이게 볼 수 있었지만, 내가 큰 잘못을 했다고 생각하진 않았다. 누구나 내 상황이었으면 그랬을 거라고, 생각했다.

취미하나 없어서 주말에는 핸드폰만 하기 바쁜

내가 이젠 하루가 계획으로 가득 찼으며, 칙칙하기만 한 집은 식물들이 하나하나 자리를 채워갔다. 아침에는 달리고 저녁에는 요가했다. 살을 빼기 위해서가 아니라 오로지 건강과 재미였다. 커피 대신 차를 마시며 즉석식 대신 요리를 배워서 해 먹었다. 그렇게 2개월을 살다 보니 몸은 두말할 것 없이 좋아졌고 머릿속은 가벼운 일들로만 채워졌다. 그제야 너희를 마주할 용기가 났다. 내가 괜찮은 사람이구나 느껴지니 너희도 당연히 그렇게 생각할 거라고 믿어 의심치 않았다.

겨울잠에서 깨어나 동백이 드디어 뿌리를 내리고 싹을 틔웠다. 오늘이 민이를 만날 날인가 보다. 나는 민이에게 싹이 난 동백을 사진 찍어 보내줬다.

−만나자.

민이가 보낸 문자를 보고 나는 긴장한 듯 심호흡하고 집을 나섰다. 만나기로 한 카페에 민이가 먼저 앉아있었다. 나는 민이에게 천천히 다가갔다.

"어, 민이야, 오랜만이네. 잘 지냈어?"

어색해서 더듬거리며 말했다.

"다원아, 보고 싶었어."

"응, 나도?····· 어?"

민이가 존댓말을 하지 않았다. 열다섯에 민이처럼 날 대했다.

"다원아, 오래 기다렸지. 이제 너희와 친구인 나를 알아. 기억났어."

나는 놀라 굳어있었다. 민이는 일어나서 나에게 다가와 꼭 안아주었다. 괜스레 눈물이 났다. 뜨거운 눈물은 민이에 어깨를 젖게 했다.

사랑이 이루어지는 드라마보다 더 감동적이며 산꼭대기에서 보는 노을보다 더 아름답다는 그 감정을 다시 느낀 시간이었다.

민이와 나는 앉아 이야기했다.

"내 집에서 이걸 찾았어."

민이가 내민 것은 조그마한 나무 상자였다. 받아 상자를 열어보니 우리들의 폴라로이드 사진이 수십 개가 있었다. 내가 이게 뭐야?, 하며 놀라 하자 민이는 방 한구석에 있어서 열어봤더니 일기장과 사진이 있었다고 말했다. 그리고 그 덕분에 기억을 조금이나마 되찾을 수 있었다고 했다.

"다행이다…, 근데 민이야. 왜 우리 문자를 보지 않은 거야?"

"사실 너랑 시원이가 말하는 걸 들었거든, 너희가 일을 해야 하는데 나 때문에 못하고 있었다는 거. 그게 너무 미안해서, 기억은 나지 않았지만, 너희가 정말 소중한 사람이란 게 느껴져서 무작정 그렇게 행동해 버렸어. 미안해."

"사과할 필요 없어, 나였어도 그랬을 거야."

한동안 지난 일들을 말하며 활짝 웃음꽃을 피웠다. 지난 그 험난하고 힘든 날들을 아무렇지 않게 말할 수 있는 것은 모두 너희 덕분이다.

'그러니까, 이제는 영원을 약속하지 않을게. 영원할 것은 말 안 해도 영원할 것이니까.'

나의 메모리는 너희로 가득 찼다.

에피소드

"야, 이거 언제까지 파야 해?"

"조금만 더."

우리는 땅을 파고 있다. 내 나이 스물여섯에 타임캡슐을 하려고 한다. 지난 날에 사진, 서로에게 쓰는 편지, 그리고 나에게 쓰는 편지. 추억들을 땅에 묻어 한 20년 뒤쯤 다시 만나 꺼내기로 하자고 약속했다.

"이제 된 것 같아, 이제 묻자."

파랑이는 삽으로, 민이는 모종삽으로 열심히 추억을 메꾸었다. 그리고 그 자리 옆에 꽤 자란 동백을 심었다. 이곳임을 알기 위해서 동백에게 우리가 올 때까지 잘 지켜달라 빌었다.

한참을 힘들게 땅을 파고 메꾸었더니 기대가 되었다. 이것을 볼 20년 뒤쯤에 내가 설레 미칠 것 같다.

돗자리를 펴 그곳에 앉았다. 낭만적인 언덕이었다. 낭만이 있다면 모든 지 다 하는 그런 시절이 있다. 낭만이 있어서 했다기엔 그 시절 자체가 낭만인 그런 하루가 존재한다.

힘들어 누워있는 너희는 오히려 즐거워 행복해 보이기까지 했다.

"크크크, 왜 웃어?"

"너도 웃잖아~"

"잼민이들 싸우지 마라."

"우리 이제 스물여섯이야."

그냥, 이 순간이 좋았던 것 같다.

민이는 기억이 전부 다 돌아오진 않았지만, 새로운 기억을 쌓아가자는 마음으로 살아가고 있다.

우리 모두 안정적인 나날을 보내고 민이도 경찰

에 합격하고 정말 잘 되는 한 해였다.

안 좋은 일들은 이제 정말 끝이다. 더 하라 해도 못 해 이젠. 띠리링-

　-여보세요, 파랑아 왜?

　-다원아, 나 헤어졌어. 흑흑흑.

　'그래, 끝날 리가 없지.'

　-너 어디야.

작가의 말

안녕하세요, 뿔난붕어입니다. 너희들의 메모리라
는 책으로 2025년 한 해를 시작하게 되었습니다.

이 책에 주요 내용은 다원, 시원, 민이, 파랑이라
는 등장인물들에 싸우고 미안해하고 행복해하는
감정 기복 같은 우정입니다. 오랜 시간을 같이 지
낸 친구만큼 서로가 편한 인간관계도 없죠. 서로
가 편하다고 해서 모든 지, 다 괜찮을 거로 생각
해서 막 대하게 되는 것 같이 굴 때가 있습니다.
아무리 친한 친구라고 해도 모든 것을 이해해주고

참아줄 거라고 생각해서는 안 됩니다.

오래된 친구일수록 편안만큼 아껴줘야 합니다. 친구 관계에서도 초심을 찾아야 할 때가 당연히 있습니다.

저도 친구 관계에 초심을 잃어버려 방황할 때가 있었습니다. 그렇지만 한 번에 실수로 끝내기엔 너무 가까운 사이였기에 사과하고 바뀌기로 약속했습니다. 끊어 내기 어려운 게 인간관계입니다. 끝내기 전에 바꾸려 시도해 보는 것은 어떨까요? 그러하여 저는 '사람은 고쳐 쓰는 것이 아니다.'라는 말을 믿지 않으려고 합니다.

작은 구멍 정도는 충분히 고칠 수 있습니다. 단 한 번만 더 사람을 믿어보기로 합시다.

너희들의 메모리 마침.

작가의 말